BLEU OU ROUGE, IL FAUT QUE ÇA BOUGE !

PRESSES AVENTURE

Paru sous le titre original de : *Old, New, Red, Blue!*

Publié par **PRESSES AVENTURE**, une division de
LES PUBLICATIONS MODUS VIVENDI INC.
55, rue Jean-Talon Ouest, 2e étage
Montréal (Québec)
Canada H2R 2W8

Dépôt légal - Bibliothèque et Archives nationales du Québec, 2006
Dépôt légal - Bibliothèque et Archives Canada, 2006

Traduit de l'anglais par : Catherine Girard-Audet

ISBN-13 : 978-2-89543-513-6

Nous reconnaissons l'aide financière du gouvernement du Canada par l'entremise du Programme d'aide au développement de l'industrie de l'édition (PADIÉ) pour nos activités d'édition.

Gouvernement du Québec — Programme de crédit d'impôt pour l'édition de livres — Gestion SODEC

Imprimé en Chine

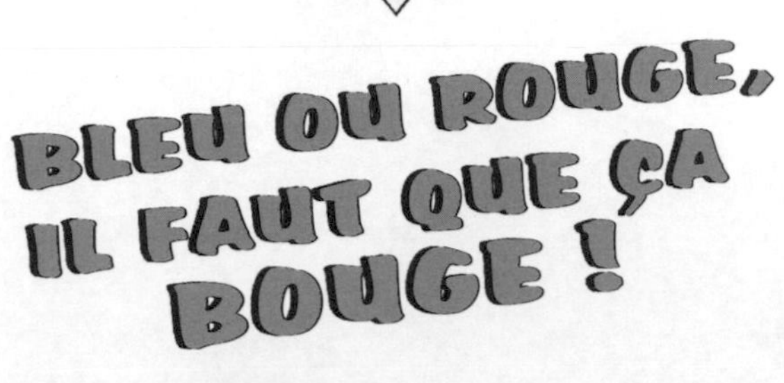

écrit par Melissa Lagonegro

Vieux camion.

Nouvelle voiture.

Camion rouge.

Voiture bleue.

Claire et brillante.

DU PISTON
LAP
208
43
43

Brun et terne.

Journée sur la route.

Soirée en ville.

Voiture sale.

RADIATOR SPRINGS
FIRE DEPARTMENT

Voiture propre.

Gentille voiture.

Méchante voiture.

Conduite rapide,

rapide, rapide.

Conduite lente

et tranquille.

Voiture tout

en hauteur.

Voiture au

ras du sol.

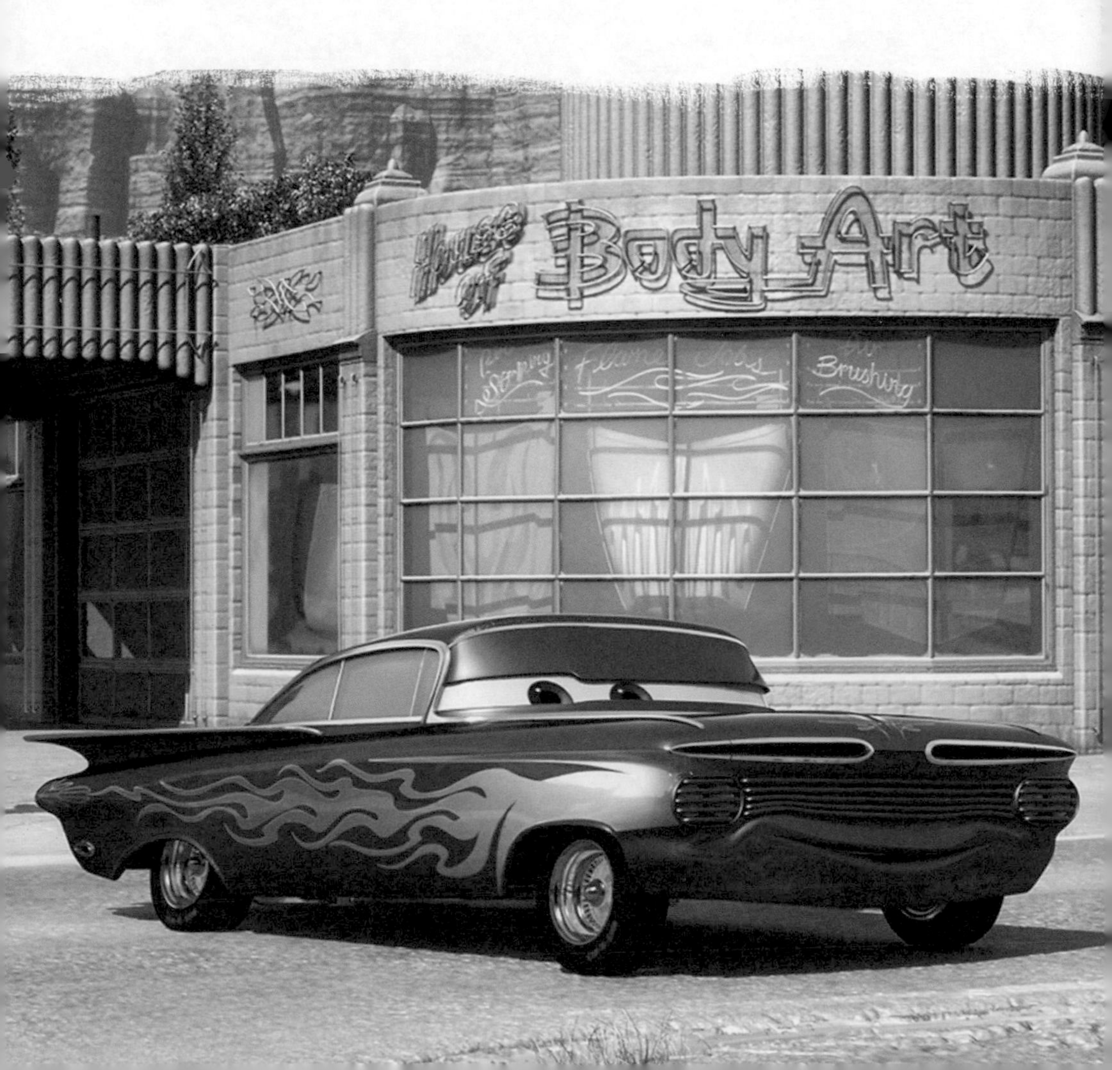

Les pneus sont grands.
Les pneus sont petits.

Une pile de pneus,
petits et grands.

Luigi's
CASA DELLA TIRES

Les pneus roulent
sur la chaussée.

Les voitures et les camions roulent un peu partout.

Bip ! Bip !